CATHARSIS

Luz

Futuropolis

"La vie est dure, Danny.
Le monde ne nous veut pas de mal,
mais il ne nous veut pas de bien non plus.
Il se fiche de ce qui nous arrive."
Stephen King, "Shining"

36 quai des Orfèvres,
Mercredi 7 Janvier 2015,
18 heures...

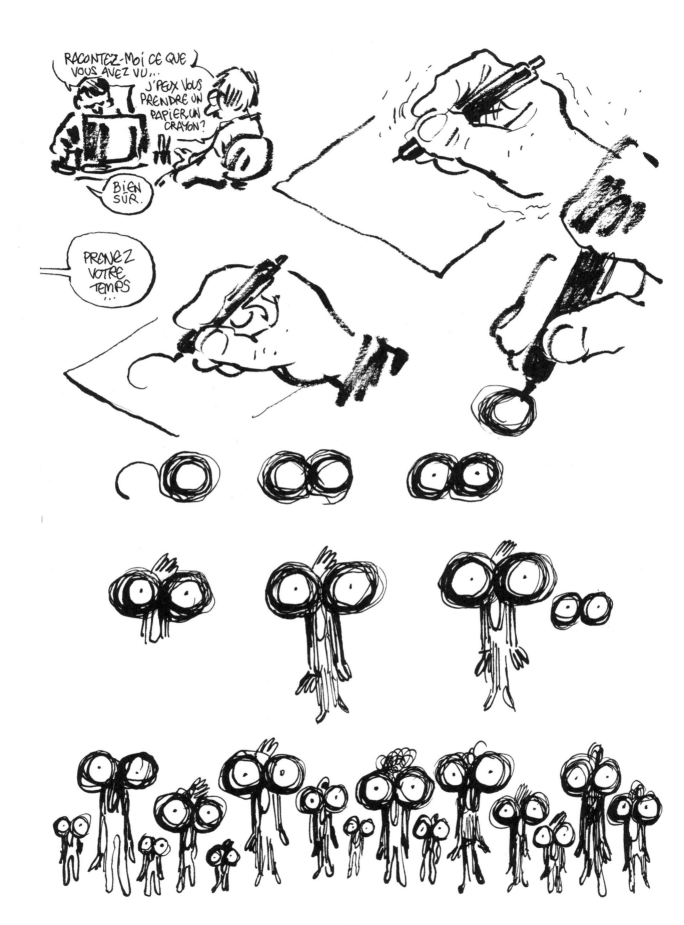

un rêve

Eros & Thanatos

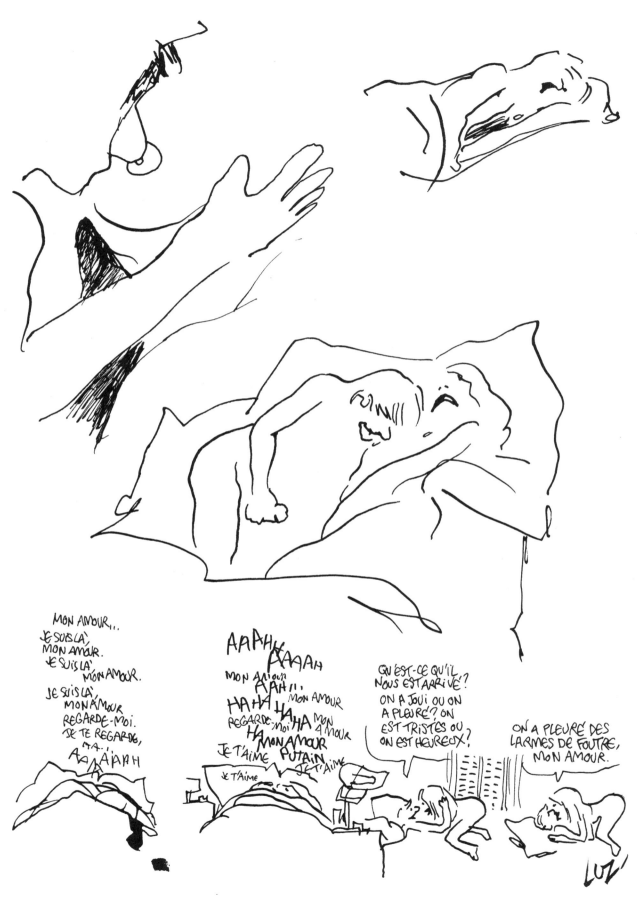

Talk, talk, talk !

Ginette

Rouge à lèvres

Une forte envie de chier

Il y a vingt ans
un rendez-vous manqué...

34

Le poing fermé

Protection rapprochée

40

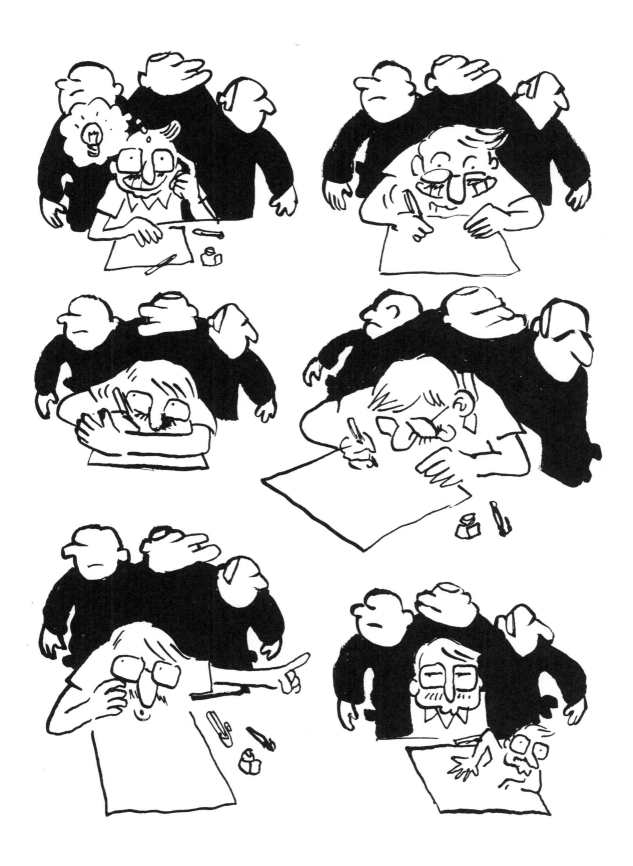

Idées noires

«IL ME FATIGUE, CE BROUILLARD
QUI ATTÉNUE LES TEINTES, FAIT
DISPARAÎTRE LES COULEURS...

- TU SAIS... J'OSE PLUS METTRE
MON MANTEAU BLEU...

- JE COMPRENDS, MON AMOUR,
C'EST NORMAL...
C'EST JUSTE QU'AVEC CE FOUTU
BROUILLARD PLUS RIEN N'EST NOIR.
MÊME LE NOIR DISPARAÎT, DEVIENT
OMBRE OU PÉNOMBRE, COMME SI
LA VIE S'EFFAÇAIT...
COMME SI LA PAGE REDEVENAIT
BLANCHE... JOUR APRÈS JOUR.
JUSQU'À CE QUE LA PAGE
DISPARAISSE ELLE-MÊME.

- RENTRONS AU CHAUD,
IL Y A UN PETIT CAFÉ PAS
LOIN.

- ÇA FAIT DU BIEN DE SE POSER ICI, T'AS VU,
  IL Y A DES BANDES DESSINÉES A' DISPO.
- OUI, C'EST COOL. REGARDE LE GARS EN FACE, IL EST DRÔLE,
  IL EST TOUT CONCENTRÉ SUR SA BD COMME UN GAMIN COUPÉ DU MONDE. ET, REGARDE, IL A PRESQUE
  LA MÊME TÊTE QUE L'AUTOPORTRAIT DE FRANQUIN SUR LA COUVERTURE. EN PLUS APAISÉ. ÇA DONNE
  ENVIE DE RELIRE "IDÉES NOIRES" EN MÊME TEMPS, JE SUIS PAS SÛR D'ÊTRE CAPABLE DE ME PLONGER
  EN CE MOMENT DANS UN BOUQUIN AUSSI DÉSESPÉRÉ.
- OUI, MAIS C'EST TELLEMENT DRÔLE. RAPPELLE-TOI LE GÉNÉRAL FOUDROYÉ PAR LA FOUDRE SUR SON CHEVAL.
- ET LE SIÈGE ÉJECTABLE POUR HÉLICOPTÈRE, HI HI ! REGARDE-LE COMME IL EST ABSORBÉ...

- HAHAHA, IL ÉTAIT GÉNIAL À SE
BIDONNER COMME UN SALE GOSSE.
- AVEC SON PANTALON DE JOGGING
COMME S'IL SORTAIT DE L'ÉCOLE
AVEC SES AFFAIRES DE SPORT.
- C'ÉTAIT BEAU.

- FRANQUIN ÉTAIT TELLEMENT
DÉPRIMÉ POURTANT, QUAND
IL A DESSINÉ "IDÉES NOIRES".
- COMME QUOI ON PEUT TOUJOURS
DESSINER DES CHOSES BELLES ET
DRÔLES, MÊME DANS LE
BROUILLARD, MON ANGE

- TU AS RAISON...

...JE CROIS
QUE J'AI ENFIN TROUVÉ
MON LECTEUR IDÉAL.
J'AURAIS JAMAIS PENSÉ
QU'IL PORTERAIT UN JOGGING."

Conférence de presse

Roswell

Interlude

Nancy & Lee

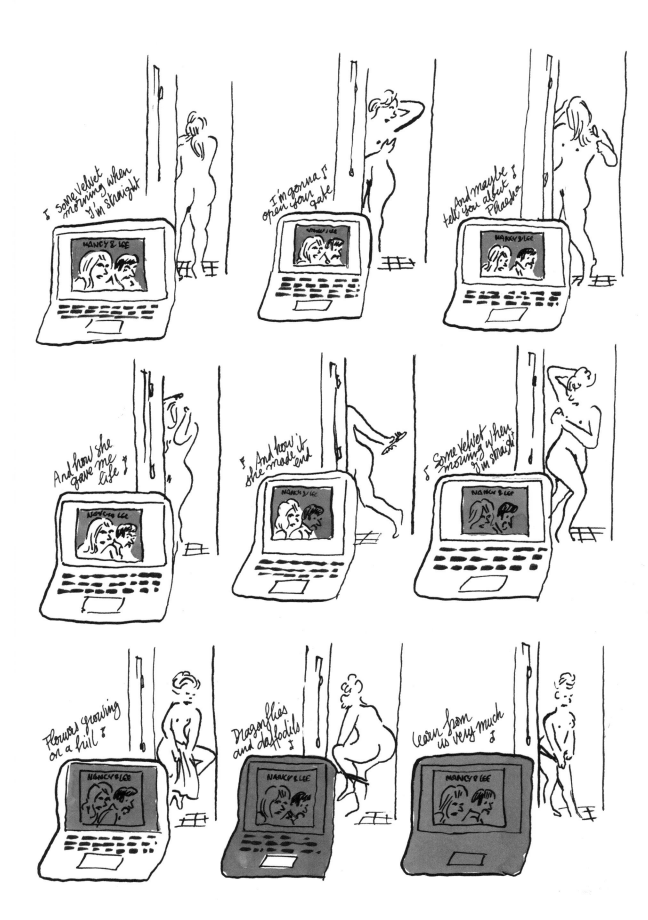

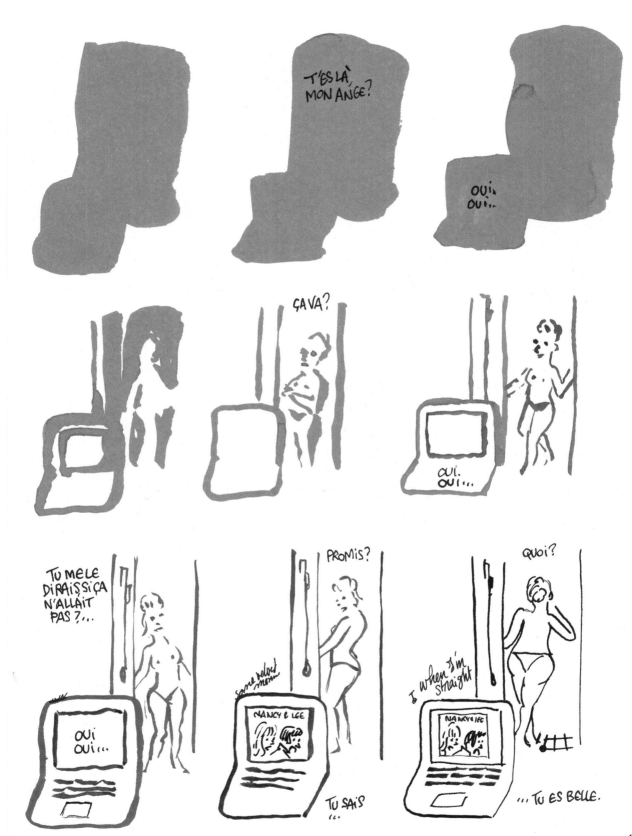

Tache

Faut que je te raconte...

Un dimanche à la mer

Pause clope

Où va-t-il chercher tout ça ?

Le petit marmiton

Vampire

Intempérie

Des crayons de bois
partout

99

Le loup-garou

Il était une fois un homme nu comme un ver
Devenu nyctalope de nuit comme de jour.

Il vivait volets clos, consigne du Ministère,
Par crainte d'un Malheur alentour.

Devenu lycanthrope de nuit comme de jour,
Pleine était la lune à toute heure de son hiver.

L'homme aux singuliers pouvoirs subits
Imaginait son corps de poils recouvert,

Convoquait la puissance, gonflait son vit
En créature inédite chassait la peur,

Mais au moindre bruit
Provenant de l'extérieur

Il redevenait cette souris
coincée derrière le radiateur.

Frank Lloyd Wright

Shining

114

La veille chez le psy

...to you ♪

P'tits bonshommes

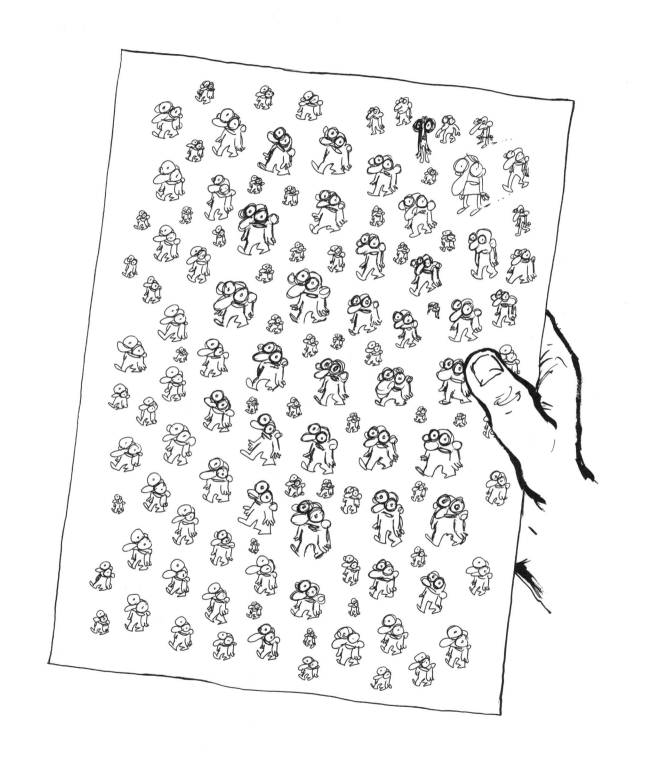

À ceux qui sont partis.
Pour ceux qui restent.

À Alain David,
pour avoir permis ces retrouvailles.

À Camille,
souvent dessinée,
tous les jours désirée,
éternellement aimée.

Du même auteur :

Éditions L'Association
Cambouis
Rouge Cardinal

Éditions Bichro
Les Mégret gèrent la ville
Monsieur le Baron
Les cons et les salauds

Éditions Hoëbeke
Claudiquant sur le dancefloor
Faire danser les filles
J'aime pas la chanson française
J'aime vraiment pas la chanson française

Éditions Les Échappés
King of Klub
Robokozy
Les Sarkozy gèrent la France

Éditions Les Requins Marteaux
The Joke

En collaboration avec d'autres auteurs :

Édité par les auteurs
Trois premiers morceaux sans Flash, *avec Stefmel*
2 tomes parus

Éditions Albin Michel
Bébés congelés, chiens écrasés
Mozart qu'on assassine, *avec Catherine, Riss, Jul, Charb, Tignous*

Éditions Bichro
À bas toutes les guerres !, *avec Charb*

Éditions Charlie Hebdo/hors série
C'est la crise finale, *avec Oncle Bernard*
Un turc est entré dans l'Europe, *avec Gérard Biard*
Charlie blasphème
2006 : Une année de dessins
2009 : Plus belle la crise !
2011 : Bon débarras !
Les années Jean-Paul II, *collectif*

Éditions Delcourt
Toutes les filles se transforment en Gremlins après minuit, *avec Anaïs Delcroix et Sarah Constantin*

Éditions Flammarion
Sex & Sex & Rock'n'roll, *avec Vincent Brunner*

Éditions Hoëbeke
La Succes story du président, *collectif*

Éditions Les Échappés
2009 : Plus belle la crise !
2011 : Bon débarras !
2013 : Marasme pour tous
2013 : Dégaze, Francois !
2014 : La reprise tranquille
Les mille Unes - 1992/2011
Les vingt ans – 1992/2012
L'immortelle connerie de la pub, *collectif*

Éditions Vents des Savanes/Glénat
Bonne fête Nicolas, *collectif*

Éditions Vents d'Ouest
Les pieds Nickelés, *avec Ptiluc et Richard Malka*

Éditions 12bis
Enfilez-vous !, *avec Rafael Borgia*

Commencé début janvier 2015.
Achevé fin mars 2015.

Page 61 à 64 : *Some Velvet Morning par Lee Hazlewood et Nancy Sinatra*,
© Lee Hazlewood, label Reprise (1967)

www.futuropolis.fr

© Futuropolis 2015.

Droits de traduction, de reproduction et d'adaptation réservés pour tous pays.

Conception et réalisation graphique : Didier Gonord pour Futuropolis.
Éditeur : Alain David.

Cet ouvrage a été imprimé en juin 2015, sur du papier Munken pure 130g.
Imprimé et relié en Italie, chez Lego.
Photogravure: Sphinx

Dépôt légal : mai 2015
ISBN : 978-2-7548-1275-7
N° d'édition : 292011
790502